KB195970

기러기의 죽음

기러기의 죽음

김경옥 시집

문학들

시인의 말

살점이 튀는 전쟁터보다 더 냉혹하고 급박한 일들이 무시로 일어난다. 힘 약한 놈을 골라 묶어세우고 돈을 빼앗는 일이 합과 비합의 구분을 넘어, 글로벌한 국경을 넘어 날마다 벌어진다. 거리와 시장에서 전쟁은 일상이 되고 식탁과 침대에까지 일상은 전쟁이 되었으니 구태여 분별하지 말라!

전쟁터에서 시나 쓰는 한심한 작자를 사람들은 조롱한다. 자본과 가까워질 수 없는 시의 태생적 특질은 행운일까 불운일까.

그래도 쓰긴 써야겠다.
삶을 쥐어짜서 육즙이 흘러내리는 시를,
치장이나 배경음악을 거둬낸 날것 그대로의 시를
자본에 내주지 않을 내 마음의 최후의 영토를 더 넓혀야 한다.

낡은 언어의 구조물들은 덕지덕지 때가 끼어 한심하고 흉물스럽다
콘크리트화된 체제에 실금 하나 내지 못하는
무력하고 낡은 언어로부터 나는 얼마나 나아갈 수 있을까
분명한 것은 삶이 훨씬 더 새로워져야 한다는 것,
새로운 삶에 무게를 실어야 한다는 것이다.

장마가 밀려간다.

2011년 여름
김경옥

차례

제2부

제3부

제4부

제5부

제1부

기억

싱크대 위 좁은 창틀
아내가 키우는 미나리 한 움큼
키 작은 새순들 파랗게 올라온다
컵라면 하얀 빈 그릇에 담겨
가는 목 숨차라 고개 내민다
며칠 만에 웃자란 미나리들은
바람 부는 데를 향해 작은 손을 흔들고 있다
몇 번째인가
가위로 싹둑 자른 밑동

지난여름 사슴농장
마취주사에 찔려 쓰러진 짐승
얼굴에 젖은 수건 덮고
질끈 감은 눈 위로 피 튀기는 톱질
돌아보지 말자 미련 없이 자른
뼈보다 단단한 가시나무 뿔
까맣게 딱지 앉은 아픈 그 자리
봄이면 또 새 가지 돋아날 것이다

소가죽

굵은 고깃덩어리
갈고리에 걸려 아래로 처져 있다
점선 그리며 온몸을 돌던 피톨들
바께쓰에 붉게 고였다
뿔 없는 머리 시멘트 바닥 한 켠에 눈감고 있고
한 벌로 묶인 발목, 그을린 꼬리가 보인다
단단한 육송 기름밴 도마 위
누런색 축축한 담요 한 장이 개켜져 있다
조각조각 흩어지고 나니
몸통이었던 고깃살보다
껍질이 눈에 아프다
저 껍질 뒤집어쓴 소 한 마리
말없이 한 생을 살았으리라
코뚜레도 멍에도 없이
적당한 온·습도 우사 속에서
가끔씩 항생제 주사 맞으며
종이 포대에 담긴 사료
겨울 한철 썰어주던

볏짚이나 새김질하던 세월
(다 끝났으니 부디 잘 가시게나)
이제는 벗겨진 저 껍질
무두질 마치고 염색공장을 돌면
검은 재킷으로 내걸릴 것이다
내 몸에 달라붙을 껍질
소 울음 울어댈 거죽의 한 생

가죽

목욕탕 화장실 거울 앞에 서니
처진 가슴살 흔들리고
둥근 아랫배, 가늘어진 배꼽 근처
윤기 없이 꼬부라진 마른 털들 보인다
뱃살 쥐어보고
거친 얼굴, 주름진 손등 꼬집어본다

언젠가 스스로 뒤집어쓴 가죽
한번 들러붙으니 도무지 벗겨지지 않는다
무어라 외쳐보아도
소 울음이 되어 나오던 말들
하늘 한번 보고
퍼런 무청 씹어보아도

눈자위 사선으로 처졌고
주름 잡힌 그 아래 검은 기미가 앉았다
광대뼈 둘러싼 얇은 가죽
얼굴 따라 패였을 마음 그늘도

하마 보일 듯싶다

벗어지지 않던 가죽
언제부턴가 내 몸과 섞이던 가죽
이제 그 살마저 늙어 가는가

매미허물

늙은 말채나무 갈라진 수피에
투명한 껍질이 붙어 있다
뾰족한 바늘입 주름진 꽁무니며
코언저리 솜털까지 흔적 아슬하다
한 올 습기까지 빠져, 바삭
부서질 미이라
매미 한 마리 살다 간 빈집이다
등허리 윤기에 빛나는 햇살
접혀진 관절, 꺼칠한 발톱 새
진흙이 가난처럼 묻었다
한때는 몸이었을 얇은 막
흙속을 뚫고 느리게 올라와
등허리 금갈라 옷 벗으려
먼저 빼낸 앞발이
물음표를 그리며 공중에 멈췄다
몸이 빠져 나가는 순간, 털썩
소리도 없이 너만 남았다
몇 해를 뒤집어쓰고 지내던 살

이젠 껍질이다

어둔 땅 속
한 생을 살았을 목숨의 거처
짝을 찾아 울음통 눌러대는
매미소리 어지러운 대낮
좌탈의 흔적에 자꾸만 눈이 간다

그림자

햇빛 다발이 난반사하는 얼굴
흰 가면의 뒤를 돌아
인적 드문 후사면을 타고 내려가면
발축에 매달린 검은 응어리

업의 검은 씨앗이 줄줄 새는 줄도 모르고
빛을 향해 달려갔던 많은 날들아
그 뒤편에서
엎디어 속울음을 울며
혼자서 쓸쓸하게 피운
눈물 얼룩진 검버섯이다, 너는

사방에서 후레쉬가 터지는 날엔
숨을 곳도 없어 납작,
발바닥 밑으로 몸을 낮추었을 터
어느 모퉁이 돌아 참았던 숨을 몰아쉬며
굽은 허리를 슬그머니 들었을 것이다
그래도 너는

안쓰런 마음을 펴
밀려나는 것들의 추레한 몸을 숨겨주고
안식의 그늘을 덮어준다

잊고 살아가는 나의 반쪽
세상의 절반
줄창 붙어 다니는
절대 떼어낼 수 없는

붕어찜

배가 갈려 내장이 빠져나간 붕어들
시뻘건 고춧가루 뒤집어쓰고 물 위를 떠다닌다
검어 또렷하던 눈알 허옇게 부풀었다
도마 위에서 토막 난 양파 자맥질 멈추지 않고
하얀 얼굴이 으깨져 진물이 흐르던 마늘들
갈라진 붕어 뱃속에 처박힌다
생살이 얇게 썰린 무는
온몸에 물이 들어 통통 부었다
푸른 고추들은 갈라진 사타구니 사이로
채 여물지 않은 씨알들을 흘리고 다닐 때
여자는 앞치마에 손을 닦으며
쉴 새 없이 끓는 도가니 속에
시커먼 간장을 들이붓는다

식구食口들이 오려면 아직 멀었나?

성냥개비

하얀 네모기둥 끝
말없는 빨간 머리
흙바닥 꺼칠한 벽면을 향해
잠시 긴장하며
부러지지 않게 목에 힘주고
단번에 돌파하리라
폭발점을 향하여
너는 내닫는다
매캐한 연기
한줄금 흩날린다
어둠 오려 내거나 언 몸 녹이기에는
턱없이 부족한 열량
흔들리다 겨우 몸 가누며
펴오르는 작은 불꽃 아래
격렬하게 몸을 비트는
짧은 한 생애
뒤틀려 꼬부라진

염증

팔꿈치 뒤쪽
어깨 비틀고 고개를 외로 틀어
겨우 보이는 자리에
낮은 활화산 하나 벌겋게 익어간다

흉노의 가을처럼
검은 세균 몇 마리 쳐들어왔는지
삭이지 못한 내 안의 더운 기운이 한쪽으로 몰렸는지
알 수 없는 만큼
미세하게 간지러운데
살살 만져보니 따뜻하다 무엇인가
쏟아내야 할 것이 있긴 있는 모양이다

높이 올라가지는 못하고
활화산 아래쪽을 서성이며
손톱에 앉은 반달을 꾹꾹 눌러 새기니
제법 저릿하다 저무는 가을
누군가 보낸 전신이 모스 부호로 도달한다

지구의 저쪽에선 점령군의 포탄이 터지고
황폐하게 마감된 자리엔 눈물 너절하다

시비 가릴 것 없이 한꺼번에 눌러 짜면
대포알 닮은 페니실린 캡슐이 날아가
소리 없이 가라앉힐 거지만
폭발 후에 남는 상처의 분화구
시간의 먼지들이 쉬 메울 거지만
간지럽고 후끈거리는 그곳
터뜨리진 않고 그냥 참아두고 싶다
아무래도 저희끼리 알아서 해야 할 거 같아
두어보기로 한다

내 마음의 깊은 꿈자리 속에도
터치지 못하는 염증 몇 개 있다

시

한 줄도 쓰지 못하는
산고를 달래려 시를 읽는다
밤새 읽는다
싱크대 아래 어둔 구석
희미한 냄새로 엎드려 있는 구절까지
입질의 순간
놓치지 않고 낚아챘다
내가 흉내 낼 수 없는 시들이다
자세가 다른 거다

중심을 뒤로 빼는
엉거주춤 방어자세로는
한줄 시도 잡을 수 없다
바닥에 코를 대지 않고서
생의 기미를 느낄 수 있는가
웅크린 가슴에서
시가 나오겠는가

전등 위로
날벌레 한 마리 사선을 긋는다

면벽

내 작은 방 침대
잠잘 땐 벽 보고 웅크리고 잔다
바람이 부는 날은 조금씩 흔들린다
귀 대보면 몸 약간 뜨는데
무슨 신호음 들리고
아득한 비명도 올라온다

두께 한 뼘 남짓
바로 옆이 아찔한 낭떠러지다
16층 골조만 앙상한 아파트, 그 위에
널빤지 깔고 혼자 누워 있는 거다
벽이 스르륵 문이 되고
바람에 비웅, 열리기라도 하면
외로운 남자
머리부터 아득하게 추락하리

건물 숲 사이 X자로 날아
스테인리스 사각 엘리베이터

문 열리고 다시 닫히는 사이
지상에 퍽, 소리 남길 때까지
어두운 밤하늘 날아
지독했던 외로움 핏물처럼 터뜨리리

작은 방 침대, 나를 가두는 벽에 기대
잠잘 땐 벽 보고 웅크리고 잔다
어두운 창 너머
상반신 홀로그램 떠오른다

미움

창 밖
흠 없는 파란 하늘 쳐다보다
고개 숙이고 발아래를 보니
미움에 빠져 살았고나
소화불량의 덩어리를
꾹꾹 눌러 안고 살았고나

공부가 제일 미웠어요
한마디 말을 남기고 뛰어내린 아이처럼
늑골 안쪽 췌장 옆
깊은 자리에
제 몸 찌르는
은빛 바늘 하나 키우며 살았고나

바닥 위에 손가락 글자를 써
미움, 혀 위에 올려 궁굴려보니
비누처럼 매끈한 말, 참 예쁜 말인데
냄새를 맡아보고 가슴에 대고 비벼도

미美가 새움처럼 돋아나는 고운 말
어디에 그리 독한 게 들어있는지 몰라

어린 것들
아픈 것들이
공중을 떠돌다가
가끔 반짝이다가
소리 없는 먼지처럼 쌓였는지도
한없이 쏠리기만 하는 마음을
아무도 받아주지 않아서
어둠 속에라도
제 속 깊은 곳에라도
따로 간직했는지 몰라

푸른 하늘 낮달이
희미하게 떠 있다
돌아서도 지워지지 않는다

꽃1

꽃
꽃들
흐드러지게 피어 있는 꽃들

음악이 초라하도록
힘으로 쏟아지는 태양,
그 아래
꽃들이 서 있다
말도 없이 서 있다

피어나는 순간
가장 활발하게 움직이고
환희도
이유도
슬픔도
의미도 모른 채
고개 숙이고 있을 뿐

정지도
동요도
저항도
순응도 아닌

한 방울 땀도
한 점 바람도 없이
고개 숙이고 있을 뿐

하늘을 향하지도
땅을 외면하지도 않는

부서지는 소리도
아픔도 없이
때 되면 스스로 시들고 마는
꽃이라고
불리는 저것

저것은 진보

저것은 포기

저것은 기다림

저것은 자족

빨간 루즈

천박한 하얀꽃

병든 노란꽃

꽃,
꽃들
흐드러지게 핀 꽃들
졸리는 오후를 견디는 꽃들

제2부

기러기의 죽음

비닐장갑을 낀 경찰관이 문을 뜯었을 때
식탁 위엔 널브러진 냄비와
기러기 한 마리 엎드려 있었다
죽은 지 보름 만이었다, 냄새가
외로움보다 독하게 코를 찔렀고
방안에는 밀린 국제통화료 고지서가 날렸다
위 속에서 검출된 것은
라면 국물과 약간의 알콜이었다, 검시관은
라면 올에 목이 매인 그의 죽음을 이해할 수 없었다
먹다 남긴 스테인리스 냄비에는
허연 꽃들이 둥둥 떠다니고 있었다

겨울이 지나도록 돌아가지 못한 기러기들이
몸 안에 쌓이는 수은에 몸을 떨다가
강가 갈대밭에서
목을 늘이고 죽어 갔다

기러기들이
보름달 위로 사선을 그으며 떠올랐다

귀가

구겨진 넥타이 흔들리는 대로
죽은 사람 어깨처럼 툭, 팔을 던져
승강기 버튼을 눌렀던 것인데 우웅,
승강기는 떠나고 나만 남는다
버튼에 ▲표 부연 불빛 보며
벽에 기대 승강기 기다린다
센서가 빈 몸을 감지했는지
불을 끈다, 사방이
컴컴해진다

한참을 어둠 속에 박혀 있는데
쫄 쫄 쫄 쫄
어느 집 물새는 소리 들린다
오래 듣지 못한 가을물 소리다
계곡 사이 바위틈을 지나
노란 느티나무 단풍 한 잎을 싣고 가는
눈감고 숨소리 세어보다
허겁지겁 손을 젓는다

어둠속에서 손을 젓는다

몇 번 깜박이다 센서가 못이긴 채 불을 켜준다
승강기가 내려오고
환한 아가리 스을겅 열린다
선택은 그저 올라타는 것, 나는
우리에 갇힌 한 마리 가축이다
케이지는 올라가 축사 입구에 문을 대고
문에서 문으로
빈틈은 없다

기러기 아빠처럼

기러기 아빠가 죽었다
죽음은 보름 만에 빈방에서 발견되었다
그렇게 죽고 싶다
창틈 새 테이프를 바르고 커튼을 내리고
출입문 위에 한 벌 더 벽지를 발라
누구에게도 들키지 않게

몸을 간질였던 피톨들은
잘린 동맥으로 조용히 빠져나간다
냉동실이 쏟아내는 하얀 냉기를 맞으며
몸은 뼛속까지 마른다
욕망을 감쌌던 거죽 부대는 터무니없이 쪼그라지고
나는 습기 한 점 없는 미라가 된다
끈질긴 이명처럼
나를 호출하던 통화음들이여 안녕,
전화를 해약하고
욕망과 소비를 선동하던 시뮬라크르들이여, 그만
구독사절을 써 붙이고

전기요금과 각종 공과금은
자동으로 납부될 것이니
냄새가 나가지 않으면 내 죽음을 탓할 이는 없다
서늘한 죽음을 깔고 자는 위층 여자와
푸석한 죽음을 덮고 자는 아래층 아이들이
나의 부재를 눈치 채기에는 너무 바쁘다
미라가 되어 함몰된 눈 아래로
습기 빠진 입술은 말려들어가고
허연 이빨만이 남아 비루먹은 생애를 증명한다
처음으로 문을 따고 들어오는 누군가에게
덜 닫힌 내 입을 스치는 바람이
무슨 소리를 낼 것이다

처서 무렵

말복을 넘긴 여름의 끝자락에서
바뀌는 계절보다 먼저 도착한
문학잡지 가을호 노란봉투를 뜯는다
남은 더위가 흘끔 눈치를 보낸다
표지 넘기면 광고와 목차
그 뒤에 사진 몇 장
발행인의 머리칼 뒤로
좌담과 연계된 가을호 특집이 실리고
시·소설·평론·서평·편집자 후기
중간엔 광고와 신인상 공모란을 끼워
골고루 잘 비벼 놓은 편집이다
표지와 편집의 낯설게 하기를 두고
담당자는 몇 차례 망설였을지 모른다

새 책을 펴는 시간은 소중하다
소설과 평론 다 읽은 후에
아껴둔 신작시란 펼쳐보지만
알 수 없는 시들에 지고 만다

며칠 지나면 귀퉁이가 접힌 잡지는
집안이나 어지럽히다 구석에 쌓일 것이다
잡지를 끝내는 순간이 허망하지 않게
겨울호부터는 난해한 시들을 대충 읽고
이야기 따라가는 소설을 아껴둬야 하나
울컥, 이런 생각을 하는
찬바람 기다리는 처서 무렵

가오리연

푸른 하늘을 배경으로 너
한번이라도
꼬리 흔들며 날아올랐던가

겁 없이 오르자마자 순식간에
나꿔채는 검은 전선에 묶이고 말아
줄을 풀어보려
바람이 불 때마다 답답한 목
힘을 주고 당길수록
뱅글뱅글 제자리 돌았던 날들
수신자 없는 번호를 밤새 눌렀다
하루 지날수록
겨울비에 얼굴 찢기고 광대뼈 더 튀어나온 가오리연
집에서도 학생부에서도
늘 무릎 꿇고 시선 둘 데 없었던 너는
밤마다 성장을 하고 나섰고
사방에서 다그쳤다
애비가 누구냐?

좌우균형을 잡지 못한 죄가 크다고
바람은 심심하면 멱살을 움켜쥐고
세차게 빰때린다 한 대 두 대 세 대
팽팽하게 맞서던 가오리연
열 몇 대 만에
마침내 목에 힘 빼고 고개 떨군다
조여 오는 목줄은 점점 짧아지고, 답답해
흔들어보다 뱅글뱅글 돌아보다

전깃줄에 걸린 가오리연
스스로 목줄을 끊었다
싸락눈 뿌린 초겨울 아침
핸드폰 너머 울음소리
겨울비에 섞인다

빌딩 숲속에서 길을 잃다

빌딩 숲 어디에 새가 살고 있나
호르르르
호르르르
어느 구석에서 노랫소리 올라온다

(짝을 부르는)
긴 부리 아래
목울대 출렁이는 그 소리다
푸른 물 위, 깃을 스치며
한 마디 두 마디 가슴선 그려
저수지를 건너오던
빛깔 고운 청호반새
무너진 산허리 붉은 황토
절벽에 지은 구멍집 드나들던
그 새 소리다

탁, 무슨 새? 몰라 그런 거
그냥 벨소리보다 이게 좀 낫잖아

나 떠난 뒤
도시로 팔려와
핸드폰 속 전자음으로 갇혔구나

등허리에 디미는 칼
아프게 밀려오는 그리움
작은 눈 아득하게 감긴다, 돌아보니
사방에서 들린다
휘파람새, 동박새, 오목눈이 울음소리

기러기

들판 가운데서 부닥친 안개는
먼 산 아래 너른 논밭이며
그 사이 흐르는 강물까지
흔들리는 갈대 옆
사람 마을의 골목까지
하얗게 밀고 들어간다 운동화를 신고
쳐들어가는 용역 깡패들처럼

기욱
기욱
기기욱

목울대 울럭이는 소리
쳐든 내 머리 위로
기러기 지나는 게 분명한데
소리만 들린다 눈 부비고
귀 기울여도 소리의 번지를 가늠할 수 없다

포클레인 덤프 페퍼포그에서
쏟아지는 연기
닥치는 대로 녹여내는 안개세상에
온몸을 내주고 소리로만 남았다
크렁! 포클레인 이빨 부딪는 소리
그 사이 겨우 들리는 기러기 소리
날개로 노를 저어 나아가는 소리

시윗
시윗

새들은
온통 하얀 수제비 국물 속을
건더기는 없고 국물뿐인 세상을
벌컥벌컥 들이키면서
전조등 하나 없이 건너가는 것인데

봄날 아침이면 이따금씩

몸이 지워지는 병을 얻은 기러기
주민등록이 말소돼 신원 파악이 안 되는
부재자 증명도 쉽지 않은

책

기말고사 범위를 정하자마자
아이들이 책을 찢는다
놀랜 내 눈 앞에서 가차 없이
이놈의 책冊에서 벗어나고 싶어
양쪽에서 손목을 비틀어 쥐고 당기니
책은 소리 없이 두 몸으로 갈라진다
아픈 배가 터지고
한 번도 보인 적 없는 내밀한 구석까지 드러나
마침내 내장이 갈라진다
핏물 배인 한 해의 시간들이
책들 사이로 흘러나온다
털썩, 버려지는 뭉텅이들
범위 밖이라고 읽히지 않은 페이지들
납작하게 눌린 슬라이스 치즈 여러 겹이 뭉텅이로 버려진다
내 시집도 저렇게 버려질 것이다
마대자루에 통째로 담겨 버려지는 책들
당신도 결국 우리 편은 아니라고
나를 책하는 아이들

폭주족

오토바이 한 대
깊은 밤 어둠을 가른다
굉음을 튀기며 달려간다

철조망을 빠져나가는 짐승처럼 엎드려
끝없는 중앙선
한줄기 끈 위를
낮은 포복으로 미끄러진다
미끈한 헬멧 위로
바람의 기총소사는 쏟아지고

좌우로 몸을 뉘며
소실점을 향해 달려가다
과녁을 맞추며 흩어버리고 싶은
네 몸의 세포들은 터지기 직전이다

이길 수 없는 싸움에
정공법으로 맞서는

너는 외로운 족속이다

아무도 없는 한밤중
칼끝을 겨누며
더 빠른 속도로 세상을 넘어서려
헬멧을 쓰고 장갑을 끼고
시동을 건다
차디찬 스텐 덩어리를 세우며
시동을 거는
너는

귀를 잃다

녀석이 없다
굴참나무 가을숲 다녀왔을 뿐인데
주머니가 허전하다

적막한 숲속에 별이 뜨면
신호음이 울리고
아무도 열어주지 않는 플립을 굳게 닫고
푸른 램프 깜박이겠다

외로움 깊어지면
낮은 목소리 노래 불러보다
여러 날 새벽 귀기울여보다
낙엽에 누워
찬 이슬에 부르르 몸 떨며
제자리 빙빙 돌며 견디고 있겠다

긁히고 닳아
희부연 얼굴 옆으로

이제, 산다람쥐 한 마리
빙빙 돌겠다

갑자기 떨어져나간
귀를 생각하는 밤
방안이 적요하다

페트병에 담긴

–윤한봉* 형을 생각하며

이제는 몸 생각하라, 식탁 위에
아내가 놓아 둔 노란 꿀 한 병
수저로 찍으니
끈적하게 흘러내린다

1981년 4월
당신은 목숨을 걸었다
화물 켜켜이 쌓인 밀항선 밑창에서
가랑이 사이에 한 달 치 식량을 끼고
아득한 땅 아메리카를 향했다

화물 틈새에 박혀
깊푸른 망해를 건너가는
당신
얼굴이 없는 어둠
창자를 아리는 고통만이
당신
이 악무는

물 아래 잠겨
적도를 넘고
날짜 변경선을 소리 없이 넘어가는
검은 어둠의 숨소리
당신

수많았던 정박지의 밤마다
언제 대검이 쑤셔댈지 모르는
불안과 공포의 막창에서
살기 위해 혀를 댔을 저 끈끈한 액체
스스로를 파괴할 권리는 없다
살아남아 증언해야 한다
배가 흔들릴 때마다 웅얼댔으리
그 밤에
울며 찍었을 저 느린한 액체

* 5·18의 마지막 수배자 윤한봉은 1981년 4월 마산항에서 밀항선에 몸을 숨기고 망명길에 나섰다 출발한 화물선이 미국에 도착하는 한 달 동안의 식량으로 그는 꿀 한 병을 가슴에 품고 갔다.

이산

금강산에서
강원도 쪽 바닷가
고성 해수욕장에 귀를 댄다
사람은 없고 푸른 물만
푸른 하늘아래 넘실거린다
키 높이 물에 잠긴 모래알들이
물살에 흔들리며 몸 부딪는 소리
저희끼리 엎디어 소곤대는 소리
한번은 가보고 싶어 죽기 전에는

화강암 금강산에서
어깨동무로 놀던 친구들
급류에 쓸려 놓치다
폭우에 구르고 부서지다
신혼 살림살이도 깨지다
계곡물에 발 담그고픈 세월도 다
흘러가다

이제는 모래알로 반짝인다
풍화되지 않는 투명해진 몸
잔물결에 회오리를 타는
들릴락말락 한숨소리
물결 아래서 소곤대는 소리

광고

대형 브로마이드
사진 속 젊은이가 웃고 있다
시원한 맥주 온몸 짜릿하게 훑고 가는 순간이다
적당히 벌린 입, 고르게 박힌 하얀 치아
티 없이 깨끗한 피부 만지고 싶다
잘 생긴 젊은이 윗몸과 머리 약간 젖히고
시원하고 쌉쌀한 맛 음미하느라
감은 눈 사이 주름살 가볍게 모은다
약간 앞으로 꺾인 오른 손목
맑은 유리컵엔 황금 맥주
여유를 보이는 거품
기운 잔에 반잔의 맥주가
사선으로 출렁인다
너풀거리는 더벅머리
수수한 와이셔츠 자연스럽다
유리컵에 작은 상표 박혀 있을 뿐
사진 속엔 광고 카피가 없다
남자의 몸 다시 훑어보는데

멍한 내 입에서 카-아! 소리 흘러나온다
끈질긴 오늘 하루, 한 잔이면 풀릴 것 같다
목덜미에 엉기는 바람은 후덥지근하고

제3부

꽃이 너무 많은 동백

저 동백
꽃을 너무 크게 달았네
두터운 입술 라인 넘어 분홍 루즈 번지네
저 동백, 꽃을 너무 많이 달았네
프릴에 리본 머플러에 레이스
주렁주렁 달았네 다 피기도 전에
누렇게 바래 헝클어진 머리 바람에 휘적이네
피기도 전에 떨어지기 시작하네
봄 여름 지나도
저 동백 열매 맺지 못하네
씨 맺지 못하네
반짝이는 잎들이 실핏줄 타고 모은
탄소동화노동 일 년 치가
하냥 쓰레기로 쌓이네
저 동백 아무렇지 않네
무성하게 자라네

견딜 수 없네*

하얀 시집 표지 위에 파리 한 마리 내려앉네

빨간 눈을 비비다 앞다리를 올려 목덜미를 급하게 터네 목이 가려운 고양이처럼 뒷다리로 그물 날개를 쓸어내리네 두 발을 쓱쓱 비벼 모아진 먼지를 털어내네 견딜 수 없네 시집 표지 위에……

이제 날아가려나, 생각하는데 손을 들어 날개 안쪽을 닦네 푸른 손타올을 장갑처럼 끼고 겨드랑이를 미는 동네 목욕탕 노인이네 때를 다 닦았는지 살짝 날개를 들고 바람을 불어넣어 몸을 말리네 목욕을 끝내고 벽걸이 선풍기 아래 거울을 보며 조심스레 머리를 말리는 노인, 산뜻하게 닦은 구두를 신으면 하루가 가벼워질 거네

공중을 선회하며 비행을 시작하겠지, 기다리는데 다시 털기 시작하네 견딜 수 없네 시집 위를 돌며 비틀거리네 이제 보니 온몸에 죽음의 재를 맞았네 놈은 한발씩 다가오는 죽음을 필사적으로 털어내고 있었네 혈압에 쓰러진 노인처럼 전신에 마비가 오네

마침내 발을 위로 들고 누워 일어나지 못하네 몇 차

례 손을 모아 빌어보다가 날개로 바닥을 쓸며 빙빙 도
네 비행의 꿈 아래 견딜 수 없네 시집의 은박 활자가 반
짝이네

* 정현종 시인의 시집

경첩

삐걱이던 창고 문이 아주 기울었다

녹슨 경첩 떨어진 자리
나비 한 마리 날아간 자국
선명하다

문이 열릴 때마다
그를 받쳐주고 싶어
부채꼴을 그리며 두근두근
날개를 팔랑였는데

무거운 장짐을 들고 한쪽 팔에 아이를 안고 가는 여
자
하중은 한곳으로 쏠리기 마련
통증도 한곳으로 몰리기 마련
뼈주사를 맞은 날 저녁엔 신음소리 줄었지만
경첩의 등허리 척추는 닳고
빛나던 얼굴엔 잡티가 늘어갔다

그런 말이 아니었는데 당신은, 쾅!
문을 닫고 나가는 날이 많아지고

싱싱한 나뭇결에 배를 맞대던
사랑은 뜨거웠으나
세상의 바람을 이길 수는 없었어요

퇴락한 몸의 안쪽
닳고 닳은 척추뼈 틈새에서 반짝이던 은빛고통
문턱 언저리에 나비가루가 쌓였다
걸레로 닦아내도
붉은 자국 남는다

소음의 도시

흐린 화강암 속에 갇혀 있다
아파트 숲 사이 가득한 안개
베란다 창문 열면
수직성 소음 한꺼번에 밀려와
덥수룩한 머리칼 새
화살로 꽂힌다

어느 외계에서 발진한 항모
어둠 속에 잠긴 잠수함처럼
서서히 도시 향해 돌진하는 듯
눈 감고 들으면, 소리들
어딘가 한쪽을 향해 있다

몸을 뚫고 들어오는 소리들
검은 아스팔트 뚫고 철심 박는 외팔 크레인
해머 솟구친다
쇠똥구리 팔 차선 도로를 질주하고 구급차 사이렌 소
리

둔중한 몸체 띄우는 비행기
터질 듯 돌아가는 압력 밥솥
반짝이는 비닐옷 입고, 온종일
개업축하쇼! 춤추며 호객하는 아이들
하수구 음식 찌꺼기 화장지에 묻은 정액들 껌종이
뒤섞여 흘러가는 물소리

육교 아래 비만의 비둘기들
뒤뚱거리며 흩어진 뻥튀기를 쪼고 있다
거실문 닫으면
시계소리만 들리는 도시
두 손으로 감싸 안은 머리
하얗게 실뿌리 내리는 편두통 유전자

잡

자판을 눌러 job을 친다는 게, 어라
잡을 쳤구만, 내친김에
잡씨네 집 문패를 두드리니
구분 없이 이것저것이 뒤섞인 것들
자질구레한 잡동사니들 쏟아져 나오는 뒤로
행을 바꾸어 아주 막된 것들이라 욕이 적혔네

뽑히고 밟히는 길가의 풀들
그 옆으로 아무렇게나 벌어진 나무들 즐비하고
안경을 끼고 늙도록 잡학을 하는 노인네와
얼굴이 산 채로 묻혀 영영 잊혀져가는
잡가 같은 놈들도 겨우 보인다
먹을 만은 하다지만 별미는 아니라는
잡탕이나 잡젓이 기중 낫지만
아파트 벨을 눌러도 문 열어주지 않는
도무지 팔리지 못할 것들뿐이다

일은 않고 놀기만 좋아하는

잡기에 쏠린 적 있어서인가
불현듯 잡것들이 나를 잡는다
잡에 갇혀 피기도 전에 꺾인
나어린 잡범의 얼굴이며
잡지에도 실리지 못한 잡문들 속 아린 이야기
나이 들수록 광대뼈 주위에 앉는 잡티들까지
코스 밖에서 함부로 자라는 것들
이름을 얻지 못한
숱한 이웃들이 손 내밀 때마다
나는 곁도 주지 않으려 앞만 보고 걸었구나
오늘 이 잡놈들
한꺼번에 나를 잡는다
아무 데서나 뒹굴어도 좋았던
그 많았던 잡년들까지

연애편지가 연애를

가을 낭만을 낙엽으로 붙여 놓고
겨울밤 서정을 눈덩이로 차게 뭉쳐
한 방에 너를 쓰러뜨리리라!
그대의 유리창에 던져 넣곤 했다
은은한 색지 골라 몇 번을 다시 써도
어구 하나가 바뀌면, 아래 문장들
감입곡류를 그리며
줄줄이 다른 강물로 흘러가곤 했다

어렵게 그대를 만난 날
마음도 손끝도 만나지 못하고
한번 쓴 문장에 묶여
무슨 말을 쏟았던가

사랑하니 헤어지자
비장한 한마디를 뱉어낸 이들을
순정파라 불러주던 그때
글줄 모르는 치들이

그릇은 잘도 비우고
입 쓱 씻어
짝을 갈아 치우면
사람들은 저질이라 손가락질했지만

그때는 몰랐다
한줄 서정이 깔리면
문장이 다음 문장을 끌어가고
연애편지가 연애를 끌기도 한다는 것을

어느 아침

아침 베란다 문 여니
할 말 있어 오래 기다렸다는 듯
안개가 문틈을 밀고 들어온다

밤새 추위에 떨었는지
독을 쓰지 못하는 구렁이처럼
구석 찾아 퍼질러 앉으며
이 도시엔 아무데도 쉴 곳 없어요
몇 방울 습기 묻혀 축축하게 말한다

한참을 들여다보다
갈 곳 없기는 나도 마찬가지예요
혼자 담배 피워 물며 대답해주었다

꽃2

꽃들이 자란다
찬바람 이슬 막는 하우스 안에서
시간 맞춰 떨어지는 양액 방울들
밤이면 쏟아지는 광선 다발 아래서
꽃들이 자란다
햇살의 각도와 길이를 맞추어라
온도계 붉은 눈금을 멈추어라
곁가지 뻗지 못하게 새 손들 잘라라
마침내 꽃물이 맺힌다
순결한 나팔관보다 더 순결한
백합이 하얗게 꽃대를 내민다
분홍빛 유두보다 더 은은한
장미가 도톰한 몽오리를 밀고 올라온다

잔치가 시작되는 홀 안 모퉁이에
화장하고 쪽진 가무단
곱게 차려입은 꽃들이
표정 없이 서 있다

불임꽃

현관 앞 파란 플라스틱 상자 위에
팬지며 페튜니아 꽃들이 웃고 있다
네덜란드에서 씨앗을 사온다는 원색종이
해마다 이맘때쯤
두어 달 피었다가 얼굴도 몸도 흔적 없이 사라진다
색색이 오려 붙인 넓은 꽃잎
봄볕에 부신 내 눈을 쏜다
잎보다 큰 기형의 주둥이들
독기 내뿜으며
들여다보는 내 얼굴 빤히 쳐다본다
잔잔한 웃음 따위?
은은한 향기씩이나?
나비 한 마리 찾지 않는 거세된 청춘,
씨앗도 열매도 없는 종이꽃에게?
색칠한 입술 씰룩이며
부끄러움도 없이 고개 쳐들며 욕설 쏟아낸다
잎 아래 먼저 시든 꽃들
비명도 없이 말라가고 있다

봄이라 페인트 찍어 바르듯
바쁜 사람들 눈에 띄라고 붙여 놓은
이미지 몇 장
핏빛이다, 불임의 꽃들
시뻘건 나팔관을 아무데나 들이밀고 있다

정님이, 그 아이

1

해남에서
지는 해 따라 서쪽으로 가면
들판 사이 엎드린 산이중학교
진입로 따라 측백나무가 무성하던 곳
몇 년이 흘렀는데, 잘
잊히지 않는 대답이 있다

2

한계효용은 체감한다
어떻게 쓰는 것이 효용을 키우는 것일까
많이도 아니고 돈이 백만 원쯤 생기면 어디부터 써야 할까
화두 걸어놓고
아이들 말을 받을 때
너는 조금 부끄러워하며 인심도 좀 쓰고 라며 운을 떼었다
아이들 자지러지게 웃음을 쏟아냈고, 웃음소리

콩알처럼 교실바닥에 흩어졌지만
이어간 뒷말을 나는 기억하지 못하지만
인심도 좀 쓰고……

아빠가 없는, 그래서 늘 신세만 지는 너에게
마음의 빚은 고스란히 남아
둥근 마음속에 키우는 풀들
말라가는 줄기
흠뻑 적셔주고 싶었겠지, 경제원칙을
벗어난 대답에 친구들은 멋모르고 깔깔댔지만
네가 틀린 것이라 말하는 경제학에 나도 동의할 수
없었다
교과서 뒤로하고
유리창 너머 하늘 쳐다보았던가

3
인심도 좀 쓰고………
십년이 되어가는 지금까지

그 말 내 머릿속을 떠돌고
가끔씩 그 아이 생각이 나는 것이다

녹색 비타민

장모님 혼자 사시는 열세평 아파트
비좁은 베란다 살림살이 빼곡하다
구석 자리 낡은 세탁기 위로
크고 작은 비닐 다라이 웅크려 있고
벽에 달린 빨간 마늘 주머니
발뒤꿈치 살짝 들고 있다
창살 같은 난간 안쪽, 먼지 쓴 유리창 아래
흰 소금 앉은 된장 오가리
귤상자, 음식물 쓰레기봉지 발 디딜 틈 없다
거기 좁은 틈 사이 가난한 화분 몇 개
안간힘으로 자리를 차지하고 있다
먼지 앉은 팔 내려뜨렸지만
용케도 녹색 잃지 않고 있다
돌아갈 수 없는 고향,
녹색 기호 키우고 있다
혈압 약 드시듯, 장모님
저 비타민 아껴 먹고 있는 거다
열세평 아파트 파랗게 가꾸고 있는 거다

이빨닦기

손가락 끝에 가는소금 눌러
어금니 안팎을 측 측 씻어냈다
붉은 잇몸 문지를 때 뽀드득 소리
간간한 소금기 입안에 도는
아침 세수 마치면 얼얼한 그리움이 밀려왔다
용의검사가 있는 월요일 아침
칫솔 위에 뿔 달린 누에 한 마리 눕혀
사기질 하얀 레일 위로 칙칙
폭폭 왕복운동이 시작되면
기차가 쏟아내는 하얀 연기
문명의 거품 입안 가득 차올랐다
아내가 사온 전동 칫솔
가는 섬모들이 소리 없이 떤다
손끝 하나 움직이지 않아도
혼자 입안을 갈고 다니며
어금니 틈새까지 시원스레 닦아낸다
할 일이 없어 물끄러미 들여다보는 거울에
얼굴 하나 스쳐간다

안개가 걷히는 새벽강가
건장한 체구로 우뚝 서서
맑은 물에 밀린 결 고운 모래로
사기질 하얀 이빨을 닦는
아버지다

멀리 왔다

제4부

춘망

벚나무 꽃 피고

벚나무 꽃 지고

벚나무 새잎 피고

비에 젖어

잎, 잎 더 푸르고

바람 불어

멀리까지 아득하고

먼 데 있는 것들

더욱 그립다

걸레

허리 굽으신 어머니
엎드려 성경책 보시다
기어 다니며 집안 청소하신다
나는 뛰어다니는 아이들 나무라며
빗자루 뺏어 방 쓸고
걸레로 구석구석 훔쳐낸다
묻어나는 먼지, 작은 모래알
형광등 불빛 아래 슬픔처럼 반짝인다
찌꺼기 터느라 펼쳐보니, 걸레는
해진 어머니 아랫도리 내복이다
몇 해 동안 어머니가 껴입은 거죽
추위를 막느라 허리 붙잡았을 고무줄
야윈 몸에 가는 선 그었을 것이다
무릎 닳아 구멍 나 있고
발목 부근 졸아든 데 잔주름 남아 있다
헐렁한 내복 속에 가는 다리 집어넣고
또 한해 겨울을 사신 어머니
비누질해서 빨아 놓고 보니

젊었을 적 연한 분홍색 보인다
맑은 물에 헹구어 비틀어 짜도
검정 고무줄 눈에 남는다

화석 꽃잎

책장 치우다 손 멈추고
색 바랜 시집 펼쳐 읽는데
몇 장 꽃잎, 소리 없이 흘러나온다

떨어진 꽃잎들,
어느 봄날 꽃놀이 추억을 비질한다

초등학교 녹슨 교문을 지나
운동장가 몇 그루 벚나무 그늘 아래
어룽대는 꽃그림자 받으며
낮은 노래 함께 불렀지
공을 쫓고 자전거를 타는 아이들
줄넘기를 하며 뛰어노는 아이들, 어깨 위로
하얗게 뛰어내리는 꽃잎들 멀리 운동장을 가로질렀
지
당신과 나 사이에 쏟아지는 천지간의 꽃비
은박지 자리 깔고 누워 저물도록 바라보았지

꽃의 영혼이 날아가 버린
하얀 미라, 얇은 습자지 화석
다섯 장 꽃잎을 받치는
둥근 꽃받침 까맣게 굳었고
별처럼 튀어 흩어진 꽃술들 아래
몇 올 곰팡이 노점을 차리고 있다
꽃잎 사이 흐르는 가는 실핏줄
연분홍색 다 날아가고
퇴색의 잔주름 뚜렷하다
손대면 금방 부서져 내릴
납작하게 눌린 이승의 육신
소리 없다
꽃잎에 가린 구절 들추어볼 때
무더기로 져 내리는 그리운 순간들

싸락눈 그친 겨울 창밖
별똥별 하나 사선을 긋는다

패엽경*

석가모니 부처님의 말씀 사리들이
그냥 흩어지고 말면 어쩌나, 안타까웠던 제자들이
이를 나뭇잎 푸른 몸에 새겼다는데
말씀이 온몸에 상형문자로 새겨질 때
어린 잎사귀들 간지러워 몸을 꼬면서도
취학통지서 받은 일곱 살 아이들이 되어
흰 보자기 둘러쓰고 앉아
따끔거리는 바리깡을 얌전하게 받았다는데

살아있는 나뭇잎경經이라
푸른 잎사귀경이라
그 경 한번 읽어보자
솜털 보송한 감나무 한 잎 햇살에 비춰보니
연두색 바탕에 선을 긋는 수실이 곱다
길은 만나고 흩어지며 서로 손잡아
인디라의 하늘에, 출렁
유선형 그물 한 채 펼친다

머리 들어보니
연두색 팔만대장경이 손사래 친다
경판 사이로 쏟아지는 빛들 공중을 떠다니고
글자들 뛰쳐나와 맑은 빛을 타고 돈다
잎새에 맺힌 물방울에는 사람 얼굴이
눈동자에는 연잎새가 놀고 있다 어우러져
푸른 하늘 한세상이 흘러가고 있다

감나무 아래서 두 손 받쳐 들고 오래 걷는다
팔뚝 위에, 주름진 내 얼굴 위에
푸른 그림자 일렁인다 감은 눈 뒤로
머나먼 서역길 봄날이 간다

* 종이가 만들어지기 전에 부처님의 말씀을 나뭇잎에 새긴 경전.

花信

겨울의 끝자락이 몰려가는 산사山寺
달마전 안마당에 매화나무 한 그루
가지마다 하얀 싸락눈 뿌린다

한잎 따서 혀끝에 올리니
어린 향내 느리게 번진다
오래 머금고 눈감아 보면
내 몸 사방에 알싸한 슬픔
깜박이는 꼬마전구로 켜진다

눈먼 뿌리들이 더듬어가며
겨우내 뽑아 올린 양식
우듬지며 꽃잎 속 가는 실핏줄에
허리 굽도록 올려 보냈구나
자식들 못 잊어 부치셨구나
저 싸락눈 낱알들
주름진 물관부의 먼 길 돌아서 왔구나

남쪽 산마루 먼데를 보는

한 사내의 명치끝에

뭉근한 화인이 남는다

치마 속을 올려다 보다

가지런한 치맛자락 속이
하, 보인다
단을 더 댄 끝자락에
잡힌 눈을 뗄 수 없다
주름치마 가는 선들 따라 올라가니
출렁이는 속살에 몸 절로 기운다
바람이 불어
끝이 조금 말려 올라가
치마는 설렁거리고
올려보는 내 눈엔 오색무지개가 뜬다
무채색 치마의 한 겹 속내는
모드가 바뀌어 은밀한 무드
어지러워라,
뭉게구름은 히죽대고

절집 토방에 퍼질러 앉은 봄
고운 단청치마 아래로
바람이 지난다

종종걸음을 치던 노랑눈썹멧새 한 마리
푸릇! 날아오른다

소나무 Ⅱ

–마산중학교 시절

바람이 부는 날은 외로웠다
물소리보다 깊은 아우성에 온 몸이 흔들렸다
소리 죽여 바늘잎 떨어내야 했던
수많았던 불면의 밤 그 막막했던 추위가 지나고
겨우내 쌓인 그리움 꽃가루로 날아
강물 위로 뿌옇게 흘러가고 나면
뻐꾸기가 울었다
혼자서 하늘 바라보았던 날들
하루에 두 번 군내버스 지나가고
하교 후에도 혼자 울던 차임벨 소리
하늘 푸르러도 마음의 껍질 금 갈라지고

국화송이가 피어나는 순간

받침대 위에 앉아있는 국화분
노란 꽃송이가 막 피어난다
햇살 받아 약간 기울어진 꽃대는
미륵보살 등허리선을 닮았는데
주먹만 한 꽃송이에서
오므린 열 손가락이
느리게 펴진다
길고 가는 꽃잎들이
허공을 딛고 뻗어나간다
파도의 정수리에서 춤추며 밀려오는 물방울처럼
오므라진 꽃잎 끝
약간 구부린 엄지손가락이
고개 숙여 반가사유하는 보살님 미끈한 뺨에
닿을락말락하는 순간이다
내 손가락에도 힘이 들어간다
뺨 위에
말없이 띄우는
보일 듯 말 듯 한 미소
가을이 잠시 깊어진다

할머니들

아파트 옆 공터에
삼백 평 새 마트가 들어선다고
개업손님맞이 쑈가 열린다
만국기 걸어 풍선 불어 띄우고
짧은 비닐치마 입고
종일 춤추는 이벤트회사 댄서들
바람허수아비 차르르륵
어깨 펴면서 오가는 사람들에 손짓 보낸다
품질 좋은 스피커, 쏟아지는 랩송
온종일 아파트를 어지럽힌다
고개 돌려보니
머리 허연 할머니들 예닐곱
일당의 미끼를 물고 쪼그려 앉아 있다
올려다보는 이마엔 가는 주름살
허연 머리 뒤엔 옛날 비녀 꽂혀 있다
누더기 엿장수, 가위 들고 억지 흥 돋우는데
보조로 딸린 싸구려 아가씨
속치마가 보이도록 허리춤에 끈 매고

온갖 야한 소리 쏟아내니
할머니들 차마 눈 둘 곳 없다
쌀쌀한 삼월 꽃샘바람 아래
엇나가는 박수를 치다 먼 산 바라보며
해 넘을 시간 가늠하고 있다
매 한 마리 공중을 돌고 있다

배

젖을 빠는 강아지들 옆으로
배 늘어뜨리고 길게 누운 어미
보랏빛 잔주름 처진 뱃살 속에
유선 타고 젖들이 모이나 보다
도톰한 젖꼭지 허옇게 불어 있다

물렁한 살결 고랑고랑 숨을 쉬는 배
암컷들이 젖 물리고
새끼들 안아주는 곳
하얗고 보드라운 메기들 배는
저수지 바닥에 돋은 초록물풀들
오래오래 쓰다듬었으리
동박새 배아래 보송한 털들
털 아래 지날 때, 맑은 바람들 흐뭇했으리

좋을 때 맞대는 배
구름그림자 지나쳐도 손이 먼저 감싸는 배
세상의 배들 모두가 말랑해서

여린 것들 포근하게 감싸준다

헛바람 가득한 내 배만 풍선처럼 부풀었다
나는 배 내미는 희한한 짐승

잠자리

푸른 하늘
날아간 자리마다
가는 선으로 그은 오선지가 흐른다

조용한 대목에선 소리 없이
신나는 대목에선 콩콩 뛰며 난다

공중에 제 몸 자국을 찍으며
몇 바퀴 돌다
붉은 벽돌담 위에 앉는다

눈의 깊이를 알 수 없다
수천 개 세상이 비치는 눈
눈에 부서지는 세계의 황홀이
너를 출렁이게 만들었나

가느다란 꼬리 끝을 찡긋 꼬부린다
전율이 몸을 타고 흐르나보다

너는 가만히 멈추어 앉아 있다
무게 중심을 비운 듯, 엷은 날개를 반짝
앞으로 숙여 내려놓는다

세상이 실감나지 않은 듯
두발로 눈을 부비다가

두고 온 것이 있었나
생각난 듯
반짝, 고개를 돌려본다

봄, 흙덩어리

얼었던 몸들 푸는지 논둑길 걷는 발걸음에도 흙덩어리 푸슬푸슬 부서진다 돌처럼 단단했던 몸집들이 혼자서도 쉬이 몸을 부린다 겨우내 품었던 그리움이며 하얀 서리바늘 다 뽑아내고 여기저기서 휴, 하고 담배연기 피워 올린다 낮은 곳에선 물기를 만나 아무렇게나 퍼질러 앉으며 무거운 내 발목 물큰하게 안아준다 성급한 놈들은 벌써 납작하게 푸른 풀들 키워 놓았다

겨울바람 아래 잔뜩 웅크리고 앉아 혼자 견디기 어려울 때는 언 채로 스크럼을 짜며 버티던 흙덩어리들 아슬한 알들이며 어린 애벌레들 끌어안느라 겨우내 끙끙 힘을 쓰던 노인네들, 이제 한시름 놓았는지 욱신욱신 굳은 몸 속 힘을 풀고 있다

제5부

겨울나무

도롱이벌레의 기나긴 어둠
눈을 감지 않아야 한다
바람 불고 비 오는 날에도
손을 놓지 않아야 한다

안약을 넣다

세계와 내 몸 사이
닫힌 문 열면
둥근 망막 경계를 건너
내가 사랑한 풍경들
몸속으로 건너오곤 했다
통근버스 찻길 아래
허리 굽은 공공근로 어머니들
머릿수건 너머 반짝이는 노을이
절뚝이며 기어가는 풍뎅이 한 마리가
어렵게 내 몸 안에 들어오곤 했다
어둠과 속도에 휘밀려가던
비탈 위에 잎 떨군 나무들까지

눈이 아프다
사각 모니터 속 명멸하던 글자들
건너오지 못하고 망막에 박혔는지
가렵고 따끔거린다

눈 위에 하얀 수의를 덮는다
눈감으니 비로소 눈알 떠오른다
캄캄 허공중에
병든 지구 기울어 자전하고
욕망에 긁힌 실핏줄이 빨갛다

수의를 열어 고개 받쳐 들고
한 방울 안약 떨군다
새벽처럼 맑은 우주의 눈물
순간에
발끝까지 스민다
놀란 꿈 솟구쳐 찬 눈물 쏟아진다

소음기

자동차 소음기가 터졌다
소리가 사납다
순치되지 않은 소리들이 원음대로 퉁퉁거린다

자동차 밑바닥에 붙은 기나긴 길을
스패너 돌려 뜯어낸다
완강한 쇠붙이
몸뚱이 두어 군데가 헐었다
썩어 널브러진
소리를 가두던 기나긴 관
얼굴 없는 손들 간절한 두드림이
눈물의 소금기로 뚫은 구멍이다, 지르륵
검은 핏물 흘러나온다

사방이 막힌 실린더에
기름을 붓고 불을 붙이고
억압의 극한까지 엑셀을 밟았다
그때마다 터지는

비명과 절규들
얼굴도 형체도 없는 소리들이
마지막까지 순치되던 곳

털썩, 낡은 철창은 나동그라지고
새 은빛 감옥이 들어선다
계산 마치고 나니
소리들 조용하다

전기

검은 피복 속을 지나는 차가운 구리선
단단한 금속의 빈틈 사이를
전자 알갱이들 얼굴도 없이 흘러다닌다

아찔하게 쏟아지는 폭포수의 낙차가
격하게 화를 내는 증기의 힘이
덩치 큰 터빈을 돌려 붙잡아 온 전자들
허공중에 세워진 전신주를 돌고
땅 속 어둔 케이블 지나
먼지 낀 빌딩, 구석까지 내몰린다

$I = \frac{V}{R}$, 전압은 높이고 저항을 줄이면
움직임이 빨라지고 일효율 높아진다
아르곤 가스 자욱한 둥근 밀실, 아우슈비츠
광자로 부서지는 알몸 종대
자유에의 욕망을 적당히 차단하면
$h=i^2rt$, 발열하는 분노의 아우성
자동차단장치 안에서 맴도는 하루

툭 툭 건드리는 스위치에
쉽게 단절되는 전자들

달마다 모자 눌러쓴 남자가 다녀가고
무표정하게 숫자 적을 때에도
계량기 은실바퀴는 소리 없이 돌고 있다

늦은 밤, 글을 쓰는 동안
모니터엔 반짝이는 커서
가난하고 심심한 몇 마리의 전자가
우울하게 몰려다니다
절명의 순간을 화면에 부딪고 있다

잠복 근무

그는 다시 온다
이 핏물 지워진 후에라도
몇 장 달력 넘긴 후에라도
이곳에 꼭 온다, 놈이
한 겹 모포로 독방 삼년의 추위를 견디었고
피 묻은 유리컵을 씹어 삼킨 얼음인간일지라도
흐려지는 추억을 방치할 순 없지

추억은, 허겁지겁
맛도 모르고 삼킨 포도알들을
보랏빛 포도주로 독하게 숙성시키지
청춘의 한 시절
가난했던 신혼도
피 묻은 칼을 손에 쥐고
어둠 속 헐떡이던 순간까지도
혼자서 돌아보며 음미할 테지

회한이 취기로 퍼져, 온몸

구석구석 미세혈관의 벽을
툭 툭 치면서 쏘다니는 그 때를
놈이 넘길 수 있을 것 같애?
지나간 날을 느리게 되돌려보다
몇 번이고 정지화면을 눌러 자세히 보다가
주연의 연기에 쓴웃음 짓겠지
허나, 밀려가는 강물
마음속 형상이란 오래 못 가지
필름 흐려지면 안달을 할 거다
추억을 충전할 지상의 방 한 칸
놈이 이 옥탑방을 방치할 수 있을 것 같애?

김형사, 쉿!

울음소리

검은 도배지 사방을 둘러친 밤이다

긴 복도 끝 화장실
흰 타일벽 위에
붉은 고무장갑이 걸려 있다
장갑을 끼고 청소하는
파란 머릿수건을 쓴
그녀의 손등을 본 사람은 없다

붉은 고무장갑 퉁퉁 부은 손가락
아래를 향해 있고
손등엔 우둘투둘 악어등껍질무늬가 솟았다
구석 자리 빗자루 밀걸레 위로
공중에 걸린 악어표 고무장갑 흔들린다
움직이는 고무손이 무언가를 쓰다듬는다

화장실바닥 물이 빠지는 배수구 따라
손 씻은 물은 날마다 흘러가

새끼 등에 똑같은 무늬를 새겼다
배수구 아래 어두운 지하에는
숨겨놓은 악어 한 마리 작은 눈을 빛내고 있다
그 여자 악어를 안고 운다
무서운 세상에 보내지 못해
등껍질 쓰다듬으며
식빵 부스러기 떼어 먹이고 있다

어두운 밤하늘에 악어울음소리 퍼진다

서울의 멧돼지

톳, 톳, 톳, 톳,
나는 달린다 문명의 복판을
빌딩 숲 사이 아스팔트
복잡하게 선 그어진 차도 위를
열섬이 쏟아내는 더운 바람 가르며

뾰족한 송곳니로 길 위의 선들 한꺼번에 걷어올린다
신호등 끊기고 좌회전금지 표지판이 쓰러진다
차량들 급하게 서고 부딪치고
선들은 마구 헝클어진다

상점들 지나 육교 지나 백화점
쓰레기 칸칸마다 쌓여 있다
뛰어넘으면 그만인 미로들 사이로
표정 없이 넘어지는 마네킹들, 포장된 꾸러미들
신부의 하얀 드레스 위에
갈라진 발자국 찍어보고
풋, 풋, 풋, 풋,

무표정한 사람들 걸음걸이를 흩트린다
경악을 매달고 나는 달린다

비좁은 인도를 지하철 계단 위를
빌딩의 로비를 한없이 달린다
에스컬레이터 멈추고 놀란 금테 모자가 구른다
싸이렌 울고 황급한 경고방송
통쾌하여라 멈출 수 없다
포레스트 검프처럼 말아톤처럼
눈앞을 달릴 뿐 멀리 볼 거 없다

길 끝나는 곳에서 한강을 헤엄친다
배를 찾아 허둥대는 경찰들 따돌릴 때
한남대교 교각보다 완강한 체계들
순간에 무너진다

더 이상 움직일 수 없는 나의 최후를
공원의 덤불 숲 아래

개들이 물고 늘어진다
이 도시를 지키는 건 길들여진 사냥개들이었군
그 옆에, 그대들
사진을 찍고 메모를 하는
불필요한 기록자들, 뭣들 하시는가?
기호로써 기호를 무너뜨린다는 그대들

* 산허리를 관통하는 도로를 건너다 길을 잃고 도시로 들어
오는 멧돼지들이 점점 늘어나고 있다.

소나무를 다듬다가

구부린 몸 구석구석
아픈 옹이들 박혀 있다
쉬지 않고 사랑한 만큼
바람 속에 한세월 기다려온 만큼
갈라진 껍질 속에 더욱 단단해진 그대여

옹이 근방에선 꼭 한 번씩
대팻날에 불꽃이 일었다
단면의 결 진홍으로 붉은 그 자리에선
매운 향내 쏟아내는 그 자리에선

K씨의 아침

잠옷바람에 자물쇠 따고 빼꼼,
현관문 열어 손만 내밀어 신문 줍는다
손이 시키는 대로 신문이 넘어간다
다 읽지도 않을 신문에 집착하는 건
그의 오래된 습관이다
새 소식들로 빼곡한 지면이 새롭지 않은 건
그의 습관과는 무관한 것이다
언제나 새로운 건 증권지수와 광고뿐
담뱃갑만 한 사진들 촘촘히 모여서
전면광고로 실리는 날
그의 신문보기는 길어진다
러닝머신 적외선 건강벨트를 보면
마흔을 넘긴 아랫배가 위태해 보이고
자라양식 헛개나무 묘목분양을 보면
어딘가엔 떼돈벌이 있을 것만 같다
영어 단기완성 호주이민 안내를 보면
넓어져야 할 자신의 영토가 자꾸만 좁아진다
안마기 물침대 주방용품 광고를 훑고

살 빼는 화장품, 팬티 선전을 지나
마지막 귀퉁이, 섹스샵 용품이 눈에 띈다
특수 콘돔과 정력팬티 진동 외로움 달래기(여자용)
여자들의 외로움을 달래주는 기계라
그래, 생각을 바꾸는 게 중요해
쏟아지는 간지만큼이나 넘쳐나는 정보
정보는 골라내는 일이 중요해!

컴퓨터 안에 키운 토마토가 꽃을 피웠다고
딸아이가 탄성을 치는 토요일 아침!

가을비에

은행잎 젖어가는 오후

말없이 내리는
금빛 소식
산사에 가득하다
오래 아니고 잠깐
그대를 추억하였다
빗속에서

벌

밤 세운 고 스톱 문상을 마치고
발인 기다리며 서성대는 아침
흐트러진 근조 화환 트럭 가득 실리고
더러는 밟히고 발길에도 채인다
꽃다발 엉클어진 영안실 쓰레기장
그 옆에 모아진 요구르트 빈 병
작은 벌 한 마리 단물을 빨고 있다

강가에서

저무는 해
강둑에 앉으면
구름 사이 문득
아! 터지는 햇살
까마득 잊었던 얼굴
가사도 모르고 부르던 노래

다시 뒤돌아보면
흐르는 강물……
눈물로 솟는 더 큰 사랑

고개 박고 둑길 걸어가는
개 한 마리 보인다

| 해설 |

'마음의 사선' 혹은 '둥근 마음'의 작업

이성천(문학평론가)

1

김경옥의 첫 시집 『기러기의 죽음』은 현대자본주의 문명의 이기적 논리가 전횡하는 일상의 한복판에서 삶의 부박함과 피폐함, 생명의 가치 훼손과 인간성 상실을 목격한 실존의 우울한 기록으로 읽혀진다. 부질없는 "욕망과 소비를 선동하던 시뮬라크르들"(「기러기 아빠처럼」)로 얼룩진 시집 속의 위악적인 세계가 그러하거니와, "나는/우리에 갇힌 한 마리 가축이다"(「귀가」)라는 위축된 시인 마음의 형상이 그러하다. 또한 "하수구 음식찌꺼기 화장지에 묻은 정액들 껌종이/뒤섞여 흘러가는 물소리"(「소음의 도시」)가 난무하는 작품 내

부의 세속 도시 풍경과 "내 마음의 깊은 꿈자리 속에도 /터지지 못하는 염증 몇 개 있다"(「염증」)라는 서정적 주체의 자괴감이 이를 입증한다.

「K씨의 아침」, 「폭주족」, 「서울의 멧돼지」, 「광고」, 「안약을 넣다」 등의 시제에서 확인되듯이 얼핏 보면 김경옥의 시편들은 평범한 일상의 풍경에 대한 단순한 소묘처럼 비춰질 수 있다. 그러나 실상 그의 시는 우리 주변의 익숙한 소재들과 자연 대상물을 매개하여 왜곡된 문명의 도구화된 기제들에 의해 억압되고 파편화된 삶의 고유성과 본원적 생명력을 지속적으로 환기하고 있는 것이다.

이 과정에서 우리가 우선적으로 주목할 수 있는 것은 시적 대상에 대한 시인의 예리한 관찰력과 섬세한 묘사이다. 이번 시집에서 시인은 일상의 현장을 생생하게 재현하며 삶의 구체적 풍경을 보여주거나 생의 중요한 순간을 예각화하며 대상을 실감 있게 그려내고 있다. 물론 이런 사실이 그의 시가 단순히 사실적 묘사에만 충실하다는 얘기는 아니다. 그의 시는 정밀한 관찰과 묘사를 통해 부조리한 일상의 "오래된 습관"(「K씨의 아침」)에 가려져 있는 삶의 본래성을 드러내는 데까지 한 걸음 더 나아간다. 김경옥의 시에 보이는 예민한 관찰력과 차분한 묘사력은 우리 삶의 본질을 명징하게 드러내기 위한 사전 작업의 일환인 것이다. 김경옥 시의 사실적 묘사가 일반적인 객관화와 건조함으로 떨어지지 않는 이유도 여기서 기인한다고 할 수 있다.

> 누런색 축축한 담요 한 장이 개켜져 있다
> 조각조각 흩어지고 나니
> 몸통이었던 고깃살보다
> 껍질이 눈에 아프다
> 저 껍질 뒤집어쓴 소 한 마리
> 말없이 한 생을 살았으리라
>
> —「소가죽」 부분

> 언젠가 스스로 뒤집어쓴 가죽
> 한번 들러붙으니 도무지 벗겨지지 않는다
> 무어라 외쳐보아도
> 소 울음이 되어 나오던 말들
> 하늘 한번 보고
> 퍼런 무청 씹어보아도
>
> 눈자위 사선으로 처졌고

주름 잡힌 그 아래 검은 기미가 앉았다
광대뼈 둘러싼 얇은 가죽
얼굴 따라 패였을 마음 그늘도
하마 보일 듯싶다

–「가죽」 부분

어둔 땅 속
한 생을 살았을 목숨의 거처
짝을 찾아 울음통 눌러대는
매미소리 어지러운 대낮
좌탈의 흔적에 자꾸만 눈이 간다

–「매미 허물」 부분

이러한 시쓰기 작업에서 김경옥 시인이 차용하는 시적 장치의 하나는 '가죽'과 '껍질' 혹은 '거죽'과 '빈집'의 상상력이다. 김경옥의 시세계에서 '가죽(거죽)'과 '껍질', '빈집'과 같은 일련의 시어들은 단순히 사전적 의미로만 수용되지 않는다. 그의 시에서 이 시어들은 "말없이 한 생을 살았"던 생명체의 고유한 흔적이자 "한 생을 살았을 목숨의 거처"로 묘사된다. 동시에 상실과 부재, 소멸과 폐허의 이미지를 내장하고 있는 이것들은 시인에게 지난 세월의 고단함과 삶의 누추함을 함축하고 있는 상징적인 기호로 인식된다. 이번에 시인은 이 같은 유사 이미지 계열의 시어들을 활용하여 생의 무상함과 덧없음, 나아가 현재적 삶의 비루함을 밀도 있게 제시하고 있다. 특히 시집의 도입부에 놓여 있는 「소가죽」, 「가죽」, 「매미 허물」 등이 이와 관련된 시편들이다.

인용 시편들에서 시적 화자가 소의 "몸통이었던 고깃살보다/껍질이 눈에 아프다"라고 읊조리거나, 매미의 "좌탈의 흔적에 자꾸만 눈이 간다"라고 고백하는 이유도 이러한 사정과 무관하지 않다. 아울러 위의 시에 등장하는 시적 대상물인 소와 매미가 화자인 나의 의식 세계로 매끄럽게 진입한다거나, "이제는 벗겨진 저 껍질"이 "무두질 마치고 염색공장을 돌면" 곧 "내 몸에 달라붙을 껍질"이 되는 경우처럼 화자의 분신으로 거듭날 수 있는 이유도 궁극적으로 여기서 비롯된다. 현재 김경옥 시인에게 "한 때는 몸이었을"(「매미 허물」) 이 '흔적들'은 공히 지나 온 세월과 현재적 삶의 의미를 반성적으로 성찰하는 계기로 작용하고 있는 것이다.

이로 인해 인용한 시에서 각각의 시적 주체는 내용 전개상 상호 교차되어도 무방한 동일자의 위상을 지니

게 된다. "누런색 축축한 담요 한 장"으로 남은 소의 '한 생'과 "진흙이 가난처럼 묻어"있는 매미의 허물에는 "얼굴 따라 패였을 마음 그늘도/하마 보일 듯"한 현재 시인의 심정이 투사되어 있다. '아픔', '울음', '꺼칠함', '늙음', '갈라짐' 등으로 묘사된 이들의 흔적에는 이즈음의 우울한 삶을 바라보는 시인의식이 강렬하게 반영되어 있는 것이다.

2

'가죽'과 '껍질'의 상상력을 통해 드러난 현실 세계에 대한 김경옥 시인의 반응은 이처럼 일단, 부정적이다. 그는 지금 자신을 둘러싼 세계가 폐허와 소멸, 소통의 부재와 단절 같은 절망적 단어들에 심각하게 노출되어 있다고 본다. 가령 이번 시집의 제목이기도 한 「기러기의 죽음」은 이 점을 보다 투명하게 보여준다. '기러기 아빠'의 외로운 죽음을 소재로 한 이 시에서 시인은 두 개의 죽음과 대면한다. "비닐장갑을 낀 경찰관"에 의해 '보름 만'에 발견된 인간 '기러기'의 죽음과 "겨울이 지나도록 돌아가지 못한" 철새 '기러기'의 죽음이 그것이다. 이 시의 구석구석에 놓여 있는 "밀린 국제 통화료 고지서"와 "허연 꽃"으로 표상된 곰팡이, "기러기 아빠"의 "위 속에서 검출된" "라면국물과 약간의 알콜" 그리고 기러기의 "몸 안에 쌓인 수은"이야말로 오늘날 우리 삶에 각인된 상처의 흔적이자 불결한 내용물이다. 동시에 그것은 삭막하게 살아가는 현대인의 생기없는 '거죽'이자 우리 시대의 맨얼굴이기도 하다. 이처럼 시인은 이들의 죽음을 통하여 고립과 단절로 점철된 현대사회의 심각성과 산업 문명의 경박성을 강한 어조로 비판하고 있다. 그리고 이 같은 시인의 비판의식은 이 시와 유사한 사유의 전개과정을 보여주는 「기러기 아빠처럼」을 통해서도 지속적으로 제시된다.

> 기러기 아빠가 죽었다
> 죽음은 보름 만에 빈방에서 발견되었다
> 그렇게 죽고 싶다
> 창틈 새 테이프를 바르고 커튼을 내리고
> 출입문 위에 한 벌 더 벽지를 발라
> 누구에게도 들키지 않게
>
> 몸을 간질였던 피톨들은

잘린 동맥으로 조용히 빠져나간다
냉동실이 쏟아내는 하얀 냉기를 맞으며
몸은 뼛속까지 마른다
욕망을 감쌌던 거죽 부대는 터무니없이 쪼그라지고
나는 습기 한 점 없는 미라가 된다
끈질긴 이명처럼
나를 호출하던 통화음들이여 안녕,
전화를 해약하고
욕망과 소비를 선동하던 시뮬라크르들이여, 그만
구독사절을 써 붙이고
전기요금과 각종 공과금은
자동으로 납부될 것이니
냄새가 나가지 않으면 내 죽음을 탓할 이는 없다
서늘한 죽음을 깔고 자는 위층 여자와
푸석한 죽음을 덮고 자는 아래층 아이들이
나의 부재를 눈치 채기에는 너무 바쁘다
미라가 되어 함몰된 눈 아래로
습기 빠진 입술은 말려들어가고
허연 이빨만이 남아 비루먹은 생애를 증명한다
처음으로 문을 따고 들어오는 누군가에게
덜 닫힌 내 입을 스치는 바람이

무슨 소리를 낼 것이다

—「기러기 아빠처럼」 전문

위의 시에서도 기러기 아빠의 안타까운 죽음이 재연되고 있다. '보름만의 발견' '빈방'과 같은 대목에서 상기되듯이 '기러기 아빠'의 죽음은 외로움과 고립감, 정서적 단절의식의 불길한 분위기에서 파생된 것으로 추정된다. 여기까지만 놓고 본다면 앞서 살펴본 「기러기의 죽음」의 전개과정과 별반 다를 바가 없다. 「기러기 아빠처럼」 역시 어느 일간지의 사건 기사에서 착상되었을 법한 현대인의 메마른 '죽음'을 통해 현대사회의 비극성과 핍진함을 직접화법으로 건조하게 전달하고 있는 것이다.

그런데 이 시의 구성 방식은 그렇게 간단하지가 않다. 시의 화자는 3행에서 "기러기 아빠"처럼 "그렇게 죽고 싶다"라며 극적인 반전을 시도하고 있는 것이다. 사실 이 시의 진정한 묘미는 바로 이러한 반전에 있다. 결론적으로 말하자면, 죽음을 경유하는 화자의 이 단호한 '선언'에는 엄청난 역설이 숨어 있는 것이다.

인용시에서 화자가 "그렇게 죽고 싶다/창틈 새 테이프를 바르고 커튼을 내리고/출입문 위에 한 벌 더 벽지를 발라/누구에게도 들키지 않게"라고 거리낌 없이 말하는 이유는 비교적 간단하다. 그것은 "냄새가 나가지 않으면 내 죽음을 탓할 이는 없다"라는 비정한 현실의 논리에서 연원한다. 또한 한편으로 그것은 "끈질긴 이명처럼" 쉴 새 없이 화자를 "호출하던 통화음들" 혹은 "소음의 도시"(「소음의 도시」)와 '안녕'(결별)하고, "욕망과 소비를 선동하던 시뮬라크르들"과 '그만'(절연)할 수 있다는 판단에서 비롯된다. 결국 이 시는 "서늘한 죽음을 깔고 자는 위층 여자와/푸석한 죽음을 덮고 자는 아래층 아이들이/나의 부재를 눈치 채기에는 너무 바쁜" 세계의 일그러진 단면을 밀도 있게 형상화한다. 그리고 이는 곧 현대 자본주의 생활체계의 타락성과 허위성을 폭로하는 것에 다름 아니다. 이 시에서 그것은 반전과 역설의 미학 원리가 주는 상승효과를 통해 독자에게 전달된다. 시인은 '죽음'이라는 어휘가 환기하는 비장함에 "구독 사절", "자동 납부", "서늘한 죽음", "푸석한 죽음" 등의 이질적이고 속화된 용어를 의도적으로 대입하고 배치함으로써 결과적으로 비극적 효과를 유발하고 있는 것이다. 작품 말미의 "처음으로 문을 따고 들어오는 누군가에게/덜 닫힌 내 입을 스치는 바람이 무슨 소리를 낼 것이다"라는 화자의 진술 위에,

"비루먹은 생애"의 비애감과 현대적 일상인(homo quotidianus)의 쓸쓸하고 우울한 표정들이 빠르게 오버랩 되는 것도 이런 사정에서 연원한다.

한 가지 더, 이 시의 반전은 여기서 끝이 아니다. 화자의 "덜 닫힌 내 입을 스치는 바람이 무슨 소리를 낼 것이다"의 부분에서 '무슨 소리'가 무엇을 의미하는지는 여전히 분명하지 않다. 하지만 이제까지 김경옥의 시세계에 누적된 시적 주제의식을 감안한다면 그 '소리'의 내용을 파악하는 것은 별로 어려운 일이 아니다. 아마도 그것은 헛된 욕망들이 부유하는 세계에 대하여 삶의 경건함과 인간 존재의 존엄성을 강조하는 맥락과 유사할 것으로 추측된다. 시인은 이 구절에서 작품 해석의 무한한 가능성을 열어놓음으로써 독자의 상상력을 자극하고 있는 것이다. 이는 현 단계 김경옥 시의 한 수준을 가늠케 한다는 측면에서 지적하지 않을 수 없다.

3

지금까지 김경옥 시인은 현대적 삶의 실제에 대한 탐구는 물론, 서정적 주체와 적막한 세계와의 모순 관계를 다양한 경로를 통하여 복합적으로 제시해 왔다. 모순된 현실의 "완강한 체계들"(「서울의 멧돼지」)에 대한 그의 비판의식은 이미 여러 시편들을 통해 의식/무의식적으로 발현되고 있다. 이를 김경옥의 시어를 빌려 비유적으로 말해보면, "마음의 사선"을 긋는 행위로 표현할 수 있으리라. 그만큼 현실의 부정 상상력을 동반한 그의 시에는 어김없이 "마음의 사선"이 그어져 있는 것이다.

그렇다고 해서 금번 그의 시집이 온통 우울한 "마음의 사선"으로만 채워져 있는 것은 아니다. 예를 들어 「잡」, 「책」, 「배」, 「정님이, 그 아이」 등의 작품에서는 엉뚱하고 기발한 상상력을 통해 경쾌한 언어유희를 선보이기도 한다. 그러면서도 우주적 생명체의 모성성과 역동성, 순진무구의 세계에 대한 아름다움을 맑고 투명한 언어로 노래한다.

젖을 빠는 강아지들 옆으로
배 늘어뜨리고 길게 누운 어미
보랏빛 잔주름 처진 뱃살 속에
유선 타고 젖들이 모이나 보다
도톰한 젖꼭지 허옇게 불어 있다

물렁한 살결 고랑고랑 숨을 쉬는 배
암컷들이 젖 물리고
새끼들 안아주는 곳
하얗고 보드라운 메기들 배는
저수지 바닥에 돋은 초록물풀들
오래오래 쓰다듬었으리
동박새 배아래 보송한 털들
털 아래 지날 때, 맑은 바람들 흐뭇했으리

– 「배」 부분

한계효용은 체감한다
어떻게 쓰는 것이 효용을 키우는 것일까
많이도 아니고 돈이 백만 원쯤 생기면 어디부터 써야 할까
화두 걸어놓고
아이들 말을 받을 때
너는 조금 부끄러워하며 인심도 좀 쓰고 라며 운을 떼었다
아이들 자지러지게 웃음을 쏟아냈고, 웃음소리
콩알처럼 교실바닥에 흩어졌지만

이어간 뒷말을 나는 기억하지 못하지만
인심도 좀 쓰고……

아빠가 없는, 그래서 늘 신세만 지는 너에게
마음의 빚은 고스란히 남아
둥근 마음속에 키우는 풀들
말라가는 줄기
흠뻑 적셔주고 싶었겠지, 경제원칙을
벗어난 대답에 친구들은 멋모르고 깔깔댔지만
네가 틀린 것이라 말하는 경제학에 나도 동의할 수
없었다
교과서 뒤로하고
유리창 너머 하늘 쳐다보았던가

―「정님이, 그 아이」 부분

이번 김경옥 시인의 시편들은 자주, 우리에게 익숙한 삶의 풍경과 자연 생명체 등의 평범한 소재를 차용하여 소박한 언어로 표현하고 있다. 그러나 이 같은 시적 소재의 평이성과 표현의 소박함이 곧바로 시적 단순함을 의미하지는 않는다. 그의 몇몇 시가 부분적으로 내용 전개의 단조로움과 시적 진술의 상투성을 노출하고 있기는 하나, 그의 시는 시인의 섬세한 감성을 바탕으로 오늘날 현대인들의 메말라가는 정서를 자극하기에 부족함이 없어 보인다. 이를테면 일상의 영역에서 길어 올린 유연한 상상력을 무기로 '누런 어미' 개의 모성성과 '메기들' 과 '동박새' 의 환한 생명력을 재치 있게 묘사한 「배」, '정님이' 라는 '둥근 마음' 을 지닌 소녀의 답변을 들으며 "경제 원칙을 벗어난" 인생의 참된 의미를 연민의 마음으로 성찰하는 「정님이, 그 아이」 등이 여기에 해당한다. 이외에도 "허리 굽으신 어머니"에 대한 그리움과 회한을 표출한 「걸레」, "미륵보살 등허리선을 닮"은 "주먹만 한 꽃송이"의 탄생을 통해 자연 질서의 조화로움을 노래한 「국화송이가 피어나는 순간」 등이 포함된다.

대체로 이 시들은 각박하고 외로운 현실의 삶이지만, 그럼에도 그 세계를 대긍정하려는 시인의 따뜻한 마음 사이사이에서 자연스럽게 생성되고 있다. 특히 이 시들은 많은 경우, 추상적인 사유체계를 배제한 감각적 직관의 단계에서 견인된다.

이렇게 보면 김경옥 시인에게 과거의 기억 속 공간과 자연(사물)은 그 흔한 낭만적 동경의 대상이 아님을 알 수 있다. 시인에게 그것들은 일상의 지친 삶을 위무하는 구원적 존재이자 시인 영혼의 안식처로 기능한다.

부재와 상실, 결핍과 단절의 지대로 전락한 일상의 풍경을 날카롭게 적시하면서도, 한편으로 훼손되어가는 자연 사물들과 우리 삶의 진정한 가치에 대해 안타까움과 연민의 정을 표출하는 시쓰기 방식은 김경옥 시 세계의 중요한 특징으로 여겨진다. 이번 시집에서 시인은 이제는 우리 곁에서 사라져 가는 그리운 기억속의 풍경과 점차 멀어져가는 그리운 대상들을 소리 없이 마음으로 보듬어 안으며 고집스럽게 자신의 시 작업을 운용하고 있다. 이런 의미에서 그의 시는 궁극적으로 현대 세계에서 훼손되고 잊혀져간 존재 가치들을 적극적으로 기억하고, 이를 계기로 현대인의 "마음 그늘"(「가죽」)을 "둥근 마음"으로 재생/복원하려는 이른바, 마음의 작업이라 할 것이다. 우리 시대가 상실한 대상들, 우리 삶에서 잊혀져가는 존재야말로, 역설적으로 현재 김경옥 시인의 마음과 시세계 전부를 진동하게 하는 핵심 요소들인 것이다. 삶의 투박한 질료와 친숙한 소재들을 정제된 언어와 투명한 이미지들로 일구어내는 이러한 서정 정신의 풍요로움은 분명 김경옥 시세계의 고유한 미덕임에 틀림없는 것이다.

김경옥

1958년 전남 해남에서 태어나 전남대학교와 광주대학교 대학원을 졸업하였다. 2003년 무등일보 신춘문예에 「빌딩 숲에서 길을 잃다」가 당선되었고, 2004년 「불임꽃」 외 5편으로 『시와 사람』신인문학상을 수상하였다. 땅끝문학회 회원으로 활동하고 있다.

e-mail | bombi58@hanmail.net

문학들 시선 017

기러기의 죽음

초판1쇄 찍은 날 | 2011년 8월 26일
초판1쇄 펴낸 날 | 2011년 9월 1일

지은이 | 김경옥
펴낸이 | 송광룡
펴낸곳 | 문학들
등록 | 2005년 8월 24일 제2005 1-2호
주소 | 501-190 광주광역시 동구 학동 81-29번지 2층
전화 | 062-651-6968
팩스 | 062-651-9690
전자우편 | munhakdle@hanmail.net

ISBN 978-89-92680-51-6 03810